ALFONSO DAUDET

TARTARIN DE TARASCON

Adaptación del texto original por **ANTONIO VALVERDE**

Ilustraciones de **RAFAEL MUNOA**

COLECCION EL  GLOBO DE COLORES

INICIACION LITERARIA

AGUILAR

CON LAS DEBIDAS LICENCIAS

N.º de Registro 5.785-61

Depósito Legal: M. 13.506-1961

Printed in Spain. Impreso en España por Pentacrom, Ferrer del Río, 6. Madrid.

Alfonso Daudet, uno de los más ilustres escritores de Francia en el siglo XIX, nació en Nimes el 13 de mayo de 1840 y murió en París en 1898. Su obra literaria, aun siguiendo la tendencia que predominaba en su época, que era la del naturalismo, o sea la copia de la naturaleza y de la vida tal como es, sin ninguna interpretación romántica, se diferencia de la de los maestros de aquella escuela, Flaubert, los hermanos Goncourt, Zola, en que conserva un espíritu idealista.

Daudet reproduce la realidad, pero no prescinde por completo del idealismo. Esto proporciona a su obra un poderoso atractivo y justifica la gran acogida que sus libros obtuvieron y que a través de los años encuentran todavía en todo el mundo.

Comenzó Daudet cultivando la poesía, pero pronto abandonó este camino para entregarse a una labor de novelista que ha dado a la literatura francesa obras de primera categoría, como El nabab, Jack, El evangelista, Poquita cosa, La arlesiana, Safo, etc.

Abundan en las páginas de este escritor cuadros de infancia desvalida, de luchas amargas contra las injusticias sociales, de pasiones violentas; pero en todo ello existe siempre una nota de sentimentalismo delicado.

Daudet fue también maestro en el difícil género del cuento. Los Cuentos del Lunes y las Cartas de mi molino, son un modelo que pone de relieve las mejores cualidades literarias de su autor.

Pero la obra más célebre del novelista y su mayor acierto como realización satírica es, sin duda, Tartarín de Tarascón. *Daudet, como hombre meridional, tenía motivos para conocer a las gentes de su tierra, y supo trazar, exagerando el dibujo, uno de los tipos más divertidos que pueden darse, cifrando en Tartarín los rasgos de petulancia y de fantasía, desde luego inofensivos, que animan el carácter del francés del* Midi.

Fue el numen de Cervantes quien estimuló el novelista, según declaración de este, para escribir su Tartarín de Tarascón. *Daudet quiso reunir en su personaje el espíritu de Don Quijote y el de Sancho Panza, el azar de las aventuras y la caída en el ridículo. Y lo consiguió, pues, a salvo la distancia enorme que media entre el libro de Daudet y el inmortal y maravilloso de Cervantes, Tartarín es una novela que encanta al lector por su fuerte comicidad y deja en él recuerdo perdurable.*

EN TARASCON

I

L A vivienda del famoso personaje se hallaba a la entrada de la no menos famosa ciudad meridional de Tarascón, en la calle de Avignon, la tercera casa a mano izquierda.

Era una pequeña villa con su jardín delante, unas paredes muy blancas y unas persianas muy verdes, bañada, como toda la ciudad, por el deslumbrante sol de esa zona de Francia.

Vista por fuera parecía una casa cualquiera, pero apenas se pasaba la cancela todo tenía un carácter originalísimo. Las plantas del jardín eran todas exóticas. Ninguna del país. Cocoteros, plátanos, nopales, cactus, güiras, etc., como si en vez del lugar donde se encontraban se hallasen en plena Africa Central, a diez mil leguas de Tarascón.

Había también un baobab *(arbos gigantea)* cuyo solo defecto consistía en ser, no gigantesco, sino diminuto hasta el extremo de caber holgadamente en una maceta. Lo mismo ocurría con la demás vegetación. Los cocoteros no eran mayores que remolachas.

De todos modos aquello mostraba un fuerte carácter tropical. Los tarasconeses que iban a ver la casa de Tartarín quedaban admirados de cuanto en ella veían, particularmente del baobad.

Pero no era esto todo. En las habitaciones reinaba un ambiente extraño que producía el asombro de cuantos tenían el honor de ser recibidos por el dueño de la casa.

Imaginad—escribe Daudet—una gran sala tapizada de fusiles y sables de arriba abajo; todas las armas de todos los países del mundo: carabinas, rifles, trabucos, cuchillos corsos, cuchillos catalanes, cuchillos-revólver, cuchillos-puñal, *krish* malayos, flechas caribes, flechas de silex, rompecabezas, porras, mazas hotentotes, lazos mexicanos... Todo ordenado, limpio y reluciente.

Semejante estancia producía algo muy semejante al miedo en quien la visitaba, aun cuando se habían tomado las precauciones necesarias.

Varios letreros señalaban los objetos peligrosos.

¡No tocar! ¡Flechas envenenadas!, se leía en un cartelito.

Y en otro: ¡Cuidado! ¡Armas cargadas!

Libros de viajes de remotos países, tratados de caza de animales feroces, novelas de aventuras en Africa y en Asia, veíanse en un velador colocado en el centro del gabinete. Y en el velador una gran botella de ron. No faltaba tampoco una hermosa tabaquera turca.

El dueño de todo aquello era Tartarín. Tartarín, cuya sola presencia imponía respeto.

Tartarín de Tarancón era un hombre de cuarenta a cincuenta años, bajo y rechoncho, muy vigoroso, como denunciaba la poderosa musculatura de sus brazos y de sus cortas piernas.

Rostro rojizo, ojos que parecían echar fuego, barba corta y fuerte. Tal era la fisonomía del héroe que, a no ser por el gesto terrible que la contraía, hubiera podido pasar por la de un pacífico burgués que vive de sus rentas.

Tartarín solía fumar en una enorme pipa con tapa de hierro.

Ya desde hace muchos años Tartarín es seguramente la más pura celebridad de Tarascón, pero en rigor fue popular antes de la época en que realiza sus grandes proyectos. Y esto a causa de sus extraordinarias dotes de cazador.

Lograr fama de gran cazador en un pueblo como Tarascón, donde todos eran grandes cazadores, significaba algo casi maravilloso y que había de mantener constantemente, cosa que a Tartarín no le costaba esfuerzo alguno. Puede decirse que en todo el Mediodía de Francia llegó a ser considerado como el rey de su ciudad natal.

Ya en la antigüedad, los naturales de ella se distinguían por sus proezas cinegéticas. Después no ha habido interrupción en este asunto, y en los tiempos a que nos referimos, abundaban las cacerías.

Mejor dicho, abundaban relativamente, porque solo se celebraban los domingos. Pero ese día, desde muy temprano, todo Tarascón estaba en pie dispuesto a practicar su ejercicio favorito.

Los cazadores se ponían en marcha bien provistos de las prendas necesarias: morral a la espalda, altas botas, la escopeta al hombro y aun algunas cosas que no lo eran tanto.

Era un soberbio espectáculo verlos salir al campo con sus jaurías y sus hurones, entre el sonar de las trompas y de los ladridos de los perros.

Lo malo ha sido siempre que en la tierra tarasconense no existe caza alguna, al menos en cinco leguas a la redonda de la ciudad. Faltan en absoluto conejos y liebres, codornices y hasta vulgares pajarillos, lo cual no significa que no sea muy hermoso el campo, sembrado de viñedos que ofrecen, escalonados a las orillas del Ródano, sus dulcísimas uvas, capaces de despertar el deseo de saborearlas en todo el que las mira.

Se sabía, que, por excepción, había una liebre, la única en toda la comarca, tan lista que era imposible atraparla y tan veloz que todo el mundo dio en llamarle la *Rápida*.

Muchos creían que todo lo de la *Rápida* y su existencia era un cuento, un mito, y, por consiguiente, solo unos cuantos obcecados y testarudos se dedicaban a perseguirla.

Pero si no había caza en Tarascón ¿con qué objeto se organizaban aquellas cacerías todos los domingos?

El autor de la historia del gran Tartarín nos dice bien claro lo que hacen aquellos simpáticos cazadores:

Se van al campo a dos o tres leguas de la ciudad. Cada grupo de cinco o seis personas elige un paraje de su gusto y allí se tumban tranquilamente a la sombra de un pozo, de una tapia ruinosa o de un olivo, sacan de los matorrales unas suculentas chuletas de vaca, cebollas crudas..., un chorizo y unas sardinas y comienzan un almuerzo sin fin, rociado con uno de esos vinos del Ródano que producen un deseo irresistible de cantar y de reír.

Luego, ya bien comidos, se levantan, silban a los perros, cargan las escopetas y se ponen a cazar. A cazar gorras. Es decir, cada cual se quita su gorra, la arroja al espacio con toda la fuerza de que es capaz y la dispara al vuelo con perdigones del cinco, del seis o del dos, según las condiciones que se hayan estipulado.

El que da más veces en la gorra queda proclamado campeón de caza y, por la tarde, regresa triunfalmente a Tarascón, con la gorra acribillada colgada de la escopeta, entre músicas y ladridos.

Ni que decir tiene que en el ejercicio de este noble deporte Tartarín era invencible. Ninguna gorra le servía de un domingo para otro, pues cuando llegaba a su casa llevaba la gorra deshecha a perdigonadas.

Las gorras *muertas*, innumerables, eran otros tantos trofeos exhibidos con orgullo en la casa del baobab.

Esta maestría en el arte de la caza de la gorra le dio tal prestigio entre sus coterráneos que todos le consideraban como el as de los ases, pues era evidente que quien mataba gorra con tan asombrosa habilidad, mataría de igual modo a cualquier tigre que se le pusiese por delante.

Tartarín fue elegido como árbitro supremo en cuestiones de caza, y todo cuanto con esta materia se relacionase tenía en él un juez inapelable.

Así lo reconocían todos. Y por eso se le veía con la frecuencia que requerían los pleitos, en la tienda de Costecalde el armero.

Sentado en su sillón de cuero verde, con aire severo, la pipa entre los dientes, rodeado de cazadores de gorras, todos en pie, Tartarín administraba justicia.

La caza era una de las pasiones de los tarasconenses; otra, las romanzas. Se cantaban en todas las cazas y cada familia tenía su romanza especial. El más noble sentimentalismo se conservaba allí siempre juvenil y de actualidad.

El farmacéutico Bèzuquet, el armero Costecalde, el delegado de Hacienda, tenían, naturalmente, su respectiva romanza familiar, sin que ninguno cantase en su casa la que pertenecía a otro vecino. Y esto mismo hacían todas las familias.

Como excepción a esta regla, podía contarse a Tartarín, que no poseía ninguna romanza particularmente suya, por la sencilla razón de que le pertenecían todas.

Nadie protestaba por ello, debido no solo al prestigio que el grande hombre había conquistado como cazador, sino también a sus magníficas facultades de cantante.

Pero resultaba muy difícil hacerle cantar. Era esquivo y, además, consideraba un tanto indigno de él entregarse a la frivolidad de las veladas musicales.

El tenía misiones más trascendentales que cumplir en la vida. Sin embargo, algunas veces, cuando había música en la botica de Bèzuquet, se pasaba por allí, sin duda casualmente.

En estas ocasiones no podía librarse de cantar. Todos se lo rogaban de tal modo, que era imposible desairarlos.

La señora madre de Bèzuquet y él, la emprendían con el gran dúo de *Roberto el Diablo*, obteniendo merecidas ovaciones de los contertulios.

La señora madre de Bèzuquet llevaba al mismo tiempo el acompañamiento al piano y, al terminar de cantar su parte, decía en voz baja a Tartarín: Ahora, usted.

La frase que este tenía que pronunciar era muy breve: ¡No, no, no!, pero lanzaba esas tres terribles negaciones con tan terrible energía y poniendo tal empeño en que su rostro, en realidad bonachón, reflejase el espíritu satánico de Roberto, que a todos impresionaba profundamente, estremeciéndolos de horror.

Su triunfo era inmenso. Una vez obtenido, sabía retirarse discretamente.

De casa del farmacéutico se iba al casino, donde, sin darle importancia al hecho, dejaba caer estas palabras:

—Vengo de casa de los Bèzuquet, donde he cantado el dúo de *Roberto el Diablo*.

Las personas de más importancia de Tarascón admiraban a Tartarín.

Los cargadores de los muelles del Ródano, se agrupaban para verle pasar cuando volvía de cazar gorras.

Para ellos, el valor y la fuerza estaban reunidos en aquel hombre de un modo perfecto. Su musculatura era

objeto de grandes encomios. Todo esto debía producir honda satisfacción en el héroe y, sin embargo, no era así. Gustaba de las alabanzas, evidentemente, pero su espíritu aspiraba a realizar altas empresas y el ambiente y la vida monótona de Tarascón le consumían.

Sobre todo en verano el deseo insatisfecho de las grandes aventuras en las selvas, contra los indios feroces y panteras y leones, de luchar en lejanos mares contra siniestros tifones, le causaba intensa melancolía.

A veces, en la soledad de su gabinete, llegaba a creerse, a semejanza del alucinado Don Quijote, que tenía que habérselas con terribles enemigos, y corría a su arsenal para tomar las armas.

Cuando volvía a la realidad se daba cuenta de que se hallaba en su confortable mansión, en mangas de camisa y con un pañuelo de seda arrollado a la cabeza.

En sus labios vagaba a menudo la palabra *ellos*. Estos *ellos* no sabía bien quiénes eran. Tal vez el enemigo en cualquiera de sus formas: todo cuanto le resultaba agresivo, los animales feroces y el salvaje que baila alrededor del poste donde tiene amarrado al blanco, para sacrificarle...

A *ellos* pertenecía también el oso gris de las Montañas Rocosas, que oscila y se relame con la lengua cubierto de sangre. Y el *targüi* del desierto, y el pirata malayo y el bandolero de los Abruzzos.

El peligro, la acción gloriosa, los viajes, todo esto significaba la palabra *ellos*.

Tartarín sufría porque a pesar de sus valerosas invocaciones, *ellos* no se presentaban a Tarascón.

Todas las noches a las nueve, Tartarín se dirigía al casino de la ciudad. Para hacerlo tomaba sus precauciones.

No era hombre que se dejase sorprender y sabía muy bien afrontar los peligros. Un bastón-estoque, una porra, un rompecabezas con puntas de hierro, a más del revólver,

constituían su armamento. De esta manera se encaminaba al casino.

La oscuridad reinaba en el casino de Avignon. Solamente alguna que otra lucecilla parpadeaba entre las brumas del Ródano. El héroe, siempre alerta, ojo avizor, iba por en medio de la calzada, sin temor a posibles asaltos, pero sin descuidar su defensa.

Atravesaba calles tortuosas y callejuelas siniestras. El encuentro fatal podía surgir en cualquier momento. Sin embargo, jamás ocurría nada, y cuando parecía que la gran aventura iba a presentarse, el *fiasco* se presentaba en lugar de ella.

Los bultos negros y los murmullos amenazadores resultaban ser gente conocida y palabras banales.

—¡Adiós, Tartarín!—oía decir, amigablemente.

A lo que él, conteniendo su furia, contestaba:

—¡Buenas noches!

Y continuaba su camino hasta llegar al casino. Allí le esperaba el comandante Bravida, ex capitán de Intendencia, para jugar su partida de naipes.

Cuarenta y cinco años tenía ya Tartarín y no había salido nunca de Tarascón.

Parecerá inaudito, pero así era. Ni siquiera conocía Marsella, la grande y cercana ciudad que todo provenzal visita varias veces antes de llegar a la madurez.

Tartarín conocía, sí, Beaucaire, que estaba tan próximo a Tarascón que no había más que atravesar un puente.

Lo cual no dejaba de ofrecer sus riesgos, pues el puente solía ser batido por verdaderos huracanes capaces de arrebatar al transeúnte y arrojarle al río.

En el gran tarasconés forcejeaban constantemente dos naturalezas distintas, la de Don Quijote y la de Sancho.

Por una parte era el hombre audaz, temerario, soñador, sufrido para las privaciones, desdeñoso de la vida material; por otra se sentía lleno de apetencias domésticas, comodón, sensual, amigo de comer bien y beber mejor.

A este Tartarín-Sancho, le espantaban las aventuras. Pero allí estaba, dentro de un mismo corpachón robusto y de corta estatura, el hidalgo Don Quijote.

El diálogo entre ambos solía ser dramático. A veces, la exaltación quijotesca vencía, pero bastaba la presencia de una rica taza de chocolate, acompañada de unas tiernas y rubicundas tostadas, para que el espíritu de Sancho triunfase y Tartarín olvidase sus ideales.

Tal era la razón por la cual el gran viajero no había salido nunca de Tarascón.

Sin embargo, una vez estuvo a punto de hacerlo. Y un gran viaje. A Shangai, donde la firma Garcio-Camus tenía grandes negocios y relaciones con todo Oriente. Esa casa comercial, importantísima, le había ofrecido a Tartarín la dirección de una de sus oficinas en una provincia china.

La factoría a que hubiera ido destinado tenía la ventaja de que de cuando en cuando era asaltada por bandidos tártaros. Entonces todos los empleados se convertían en combatientes, se cerraban las puertas y desde las ventanas se rechazaba la agresión a tiros. Y hasta solían hacerse salidas contra el enemigo.

Esta perspectiva excitó en alto grado el entusiasmo de Tartarín quien, a no ser por las prudentes reflexiones que le hizo el Sancho Panza que llevaba dentro, hubiera partido sin vacilar al Extremo Oriente.

Se quedó, pues, en Tarascón, pero el hecho de haber estado a punto de partir, significaba mucho. Así lo entendían también sus convecinos. Durante semanas y meses no

23

se había hablado de otra cosa en la ciudad.

La duda atenazaba a todos y, cuando dos tarasconenses se encontraban, sus primeras palabras eran para preguntarse si *se iría* o *no se iría*.

Así estaban las cosas y tal vez hubiera sufrido algo el prestigio heroico del grande hombre al ver que no se iba, cuando un suceso extraordinario vino a demostrar a todos el temple de su alma.

Un día llegó al pueblo, procedente de Beaucaire, la barraca ambulante de M. Mítaine, con su colección de animales exóticos y terribles, entre ellos un magnífico león

En casa del armero Costecalde produjo la noticia algún sobresalto. Los cazadores de gorras se pusieron en movi-

miento, y un grupito con Tartarín al frente, marchó a ver cara a cara al león del Atlas.

Una vez en la barraca, recorrieron las jaulas, pasando ante las boas y las focas sin gran emoción, pero no así ante el rey de la selva, de cuya jaula se pusieron a bastante distancia los cazadores de gorras, con excepción, naturalmente, de Tartarín.

Este, llevando en la mano un fusil de aguja, no tuvo inconveniente en situarse cerca de los barrotes.

E hizo más. Permaneció impasible cuando el león, dando un rugido formidable que hizo huir a los cazadores de gorras, aproximó su cabezota rubia al lugar donde se hallaba Tartarín.

Mal lo hubiera pasado el héroe, a pesar de su fusil de aguja, si en vez de estar enjaulada la fiera tras los sólidos barrotes, hubiera estado suelta.

La actitud fría, serena, resuelta de Tartarín, sugestionó a todos. Recobrando sus ánimos, un momento decaídos, los cazadores fugitivos se agruparon de nuevo ante la jaula. Si bien a no poca distancia de su campeón.

En aquellas singulares circunstancias a Tartarín se le escapó una frase audaz:

—La caza del león es ya una verdadera caza.

Esto bastó para que inmediatamente corriese por la ciudad el rumor de que Tartarín partiría en breve para Africa con objeto de cazar leones.

No se hablaba de otra cosa.

En la avenida, en el Casino, en casa de Costecalde, las gentes se interpelaban ansiosamente:

—Y de otra manera, ¿sabe usted la noticia, al menos?

Debe advertirse que en Tarascón todo diálogo comienza por la frase *Y de otra manera*, que allí pronuncian *otremén*, y termina con *al menos*, que pronuncian *muen*. En aquellos

días los *muen* y los *otremén* se prodigaban tanto que hacían retemblar los cristales.

Interrogado Tartarín sobre el caso, quedó altamente sorprendido de su próximo viaje.

Su halago fue inmenso, pero la idea le sobrecogió. Sin embargo, familiarizándose con ella, acabó por encontrarla factible y cuando le hablaban del asunto no negaba su posibilidad.

Toda la ciudad lo dio por hecho. Tartarín se vio rodeado de una espectación ardiente, y una tarde en que hablaba con otros cazadores en la tienda de Costecalde, acosado como siempre por sus amigos, declaró ya de una manera firme y categórica que, en efecto, había decidido ir a cazar grandes leones al propio Atlas.

Pasaron unos días espantosos. El pensamiento de Tartarín era un volcán.

Se veía hecho trizas por los leones del desierto y enterrado en la arena. Naufragios, fiebres, elefantiasis, caída en poder de los salvajes y muerte lenta a flechazos atado a un árbol: la imagen de todas estas calamidades acudía por las noches a su mente no dejándole reposar.

Pero como él no era un cobarde, reaccionaba contra tales ideas y se decía a sí mismo que nada malo podía ocurrirle si tomaba las precauciones necesarias.

En consecuencia, vigiló desde entonces su alimentación, bebía agua hervida, y daba todas las mañanas siete u ocho vueltas a la ciudad, a paso gimnástico para acostumbrarse a las grandes marchas en el desierto y en las selvas.

Así iba transcurriendo el tiempo. Sus amigos y conocidos se impacientaban de tan larga espera y pronto brotó en el ánimo del más maligno la sospecha de que Tartarín no se iría.

En Tarascón las sospechas crecen con rapidez y se extienden con increíble velocidad.

La cuestión planteada era esta: ¿Tenía Tartarín verdaderamente el propósito de marcharse? Nadie se atrevía a contestar sí o no; pero la simple duda suscitaba sonrisas, frases ambiguas...

—Será como lo de Shangai—exclamaba Costecalde.

El crédito de Tartarín comenzó a bajar, primero con lentitud, después vertiginosamente.

El armero, el boticario, el juez, cualquier vulgar cazador de gorras se permitía bromas crueles y, desde luego, cuando uno de ellos se encontraba ante el heroico convecino le preguntaba con ironía:

—¿Cuándo?... ¿Cuándo es la marcha?

Tartarín aparentaba calma y un desdén soberano por aquellas gentes. Pero otra iba por dentro.

Ya nadie le defendía ni creía en él. Pronto llegarían a creerle un deshonor para Tarascón y entonces su situación sería insostenible.

Unicamente no le abandonaba todavía el ejército, el noble y valiente ejército; es decir, el comandante Bravida, el antiguo capitán encargado de los almacenes de aprovisionamiento militar.

Mas tanto, tanto tiempo iba pasando, que un día el ejército creyó llegado el momento de intervenir.

Bravida, espíritu sensible a todas las llamadas del pundonor, fue a visitar a su amigo a la casita del baobab y, con semblante severo y a la vez afectuoso, pronunció estas palabras:

—Tartarín: hay que ponerse en camino.

El héroe, comprendiendo lo que aquellas palabras significaban en boca del bizarro capitán retirado, ya comandante para los tarasconenses, se puso muy pálido y prometió marchar.

Desde el día siguiente empezó sus preparativos, comprando las muchas cosas que necesitaba—más armas, una

tienda de campaña, alimentos comprimidos, un botiquín, un álbum en el que escribir su diario, etcétera—para llevar a cabo la arriesgada y gloriosa empresa que todos esperaban de él.

Tartarín, pues, se puso en camino. El gran día llegó y, en verdad, fue solemne.

Todo Tarascón esta en pie desde la hora del alba, obstruyendo la carretera de Avignon y las cercanías de la casita del baobab.

La gente se agrupaba en ventanas, tejados y árboles: marineros del Ródano, carreteros, menestrales, costureras, burgueses, todos los socios del Casino, limpiabotas y huertanos; gentes de Beaucaire que habían pasado el puente; campesinos en sus tartanas, viñadores en sus buenas mulas, adornadas con cintas, lazos, borlas, penachos, cascabeles y campanillas y, de trecho en trecho, algunas lindas muchachas de Arlés que llevaban a la grupa de sus caballos de la Camargue, jóvenes jinetes y que lucían cintas azules alrededor de la cabeza.

Aquella multitud se agolpaba delante de la villa del señor Tartarín que marchaba al país de los turcos a cazar leones.

Para los tarasconenses, Argelia, Africa, Grecia, Presia, Turquía, Mesopotamia... todo esto formaba un país muy vago, casi mitológico y le llamaban los *teurs*, turcs, pronunciado a la provenzal, los turcos.

En medio de aquella baraúnda, los cazadores de gorras iban y venían orgullosos del triunfo de su jefe, abriendo a su paso, como un surco glorioso.

Por último, Tartarín apareció en el umbral de su casa, con traje argelino, chaquetilla ajustada, pantalones bombachos y faja roja. Al hombro llevaba dos fusiles, a la cintura un cuchillo de monte y un revólver, y cruzándole el pecho dos correas llenas de cartuchos.

—¡Viva Tartarín! ¡Viva Tartarín!—gritaba el pueblo, o aullaba más bien, frenético de entusiasmo.

El héroe, tranquilo y arrogante, se puso en camino de la estación. Delante, abriéndole paso, iban los cazadores de gorras, junto a él el bizarro comandante Bravida, capitán de Almacén retirado, el magistrado Ledereze y el armero Costecalde. El pueblo le rodeabamero Costecalde. El pueblo le rodeaba por todas partes y le seguía.

EN EL PAIS DE LOS TEURS

II

SIN ninguna peripecia llegó Tartarín a Marsella y luego, a bordo del paquebot *Zuavo*, a Argelia, después de tres días de navegación.

Una travesía deliciosa para todos, menos para el gran tarasconense que tuvo la desgracia de marearse de tal modo que no le fue posible salir a cubierta hasta la llegada del barco al puerto de Argelia.

Pero el caso es que llegó y puso el pie en aquel muelle berberisco donde trescientos años antes un cautivo español llamado Miguel de Cervantes preparaba, bajo el látigo del cómitre argelino, una novela sublime que se habría de llamar *Don Quijote de la Mancha*.

Los primeros momentos fueron de confusión extraordinaria para el viajero. Cierto que vio alrededor suyo tipos raros, árabes corpulentos, moritos medio desnudos, tunecinos, negros; pero por lo demás no veía demasiada diferencia con Tarascón.

El se había figurado una ciudad oriental maravillosa, mitológica, algo así como un término medio entre Constantinopla y Zanzíbar.

Argel le mostraba sus cafés, restoranes, calles anchas, casas de cuatro pisos, y una gran plaza donde una banda militar tocaba las mismas piezas que él oía en Francia.

¿Dónde estaban los *teurs*? ¡El único *teur* era él!

Comprendió que necesitaba descansar y se dirigió al Hotel de Europa.

Allí, en su cuarto, una vez desarmado y desnudo se metió en la cama y se durmió. Estuvo durmiendo veinte horas seguidas.

Al despertar, después de hacerse servir un opíparo almuerzo acompañado de una botella de vino de Crescia, Tartarín, sintiéndose maravillosamente entonado, no quiso demorar la ejecución de la primera de sus hazañas.

Descansó un rato en el vestíbulo del hotel y subió a su cuarto para armarse debidamente y enrollarse a la espalda la tienda de campaña.

Su plan era salir de la ciudad sin dar cuenta a nadie, dirigirse al desierto, esperar la noche, emboscarse y matar al primer león que pasase. Al día siguiente regresaría al Hotel de Europa y alquilaría una carreta con gentes del país para volver al lugar donde mató al león y conducirlo a la ciudad.

Al pensar en las felicitaciones, hurras y homenajes que iba a recibir en el hotel cuando se supiese su hazaña, Tartarín experimentaba una satisfacción indescriptible.

Caía la tarde cuando el héroe de Tarascón comenzó a caminar hacia el desierto por la polvorienta carretera de Mustafá.

Lo que este vio no pudo menos de asombrarle nuevamente. ¡Qué confusión en aquella carretera! Omnibus, coches de punto, camiones de transporte, grandes carretas de heno tiradas por bueyes, escuadrones de cazadores de Africa, rebaños de flacos borriquillos, negras vendiendo galletas, coches de emigrados alsacianos, *spahis* de capas rojas, todos ellos desfilando en medio de un torbellino de polvo y de gritos, cantos y trompetas por entre dos filas de malas barracas, donde se veían robustas mujeres peinándose delante de las puertas, tabernas carnicerias, matarifes...

Menos mal que también pudo ver algunos camellos, signo cierto, según Tartarín, de que los leones no podían estar muy lejos.

Pasaron dos o tres grupos de cazadores con la escopeta terciada y el morral lleno de caza.

Pero se trataba de una caza despreciable, liebres, conejos y chochas, que el tarasconés no imaginó nunca que hubiera en el país de los *teurs*.

Cuando se hizo de noche, noche sin luna, acribillada de estrellas, Tartarín se lanzó a campo traviesa entre zarzas, matas salvajes y pedruscos.

El león debía estar próximo.

La noche era oscura y el lugar solamente alumbrado por el resplandor de las estrellas, ofrecía serios peligros para Tartarín si en cualquier momento se hubiera presentado un león. El lo esperaba con una escopeta delante y otra en la mano. Con una rodilla hincada en tierra aguardaba el héroe, hora tras hora, sin que nada turbase la calma de la noche.

Pensó entonces que le faltaba un corderillo que le sirviese de reclamo, como suelen llevar los cazadores de leones para que la fiera se acerque.

A falta de corderillo Tartarín se puso a balar, para que le oyese el rey de la selva, con un poco de miedo de que así ocurriese. Pero al ver que no acudía, baló cada vez más fuerte, más recio, como si en vez del balido de un cordero fuese el mugido de un buey.

De pronto, sucedió lo inesperado por el cazador, según imaginó este con la rapidez del pensamiento que dan los grandes peligros: un bulto negro y gigantesco apareció por allí olfateando el suelo, moviéndose con presteza hasta desaparecer entre las sombras.

Tartarín no vaciló. Se echó la escopeta a la cara y ¡pim! ¡pam! disparó al bulto. Un aullido feroz sucedió a la detonación.

Pero por si el león se revolvía contra su agresor, Tartarín empuñó, resuelto a todo, un cuchillo de monte. Agachado, con los ojos llenos de un extraño fulgor y el corazón palpitante, el tarasconés silencioso esperaba, espera-

ba... Así pasaron una, dos, tres horas... Empezaba a soplar un viento fresco, la humedad de la tierra se metía en los huesos y Tartarín se sintió invadido por el sueño. No tardó en quedar profundamente dormido. Y así continuó, hasta que un ruido infernal le hizo despertar sobresaltado.

Un alegre y penetrante sonar de trompetas estremecía el aire. Era el toque de diana de las tropas que ocupaban el cuartel de Mustafá.

Ya a plena luz, pudo contemplar el paraje donde se encontraba, el cual no tenía nada que ver, evidentemente, con el desierto, porque una cosa es el desierto y otra un plantío de alcachofas.

Cerca del plantío de alcachofas había otro de coliflores y más allá otro de remolachas.

¡El Sahara con hortalizas! No podía ser. Además, en una suave pendiente verde, a corta distancia, veíanse unos lindos y modernos chalés, como los que hay en cualquier pueblo de veraneo de Europa.

Tartarín quedó perplejo. Pero sus dudas se desvanecieron pronto al observar en el suelo, entre las alcachofas, el rastro de sangre que un león malherido había dejado. ¡Allí estaba la prueba!, pensó el cazador.

Y acto seguido, sigiloso, despacio, sin separar la mirada de la pista sangrienta, revólver en mano, Tartarín llegó hasta donde estaba el animal moribundo.

¿Un león? No. Nada de eso. A pesar de la amargura que le ocasionó comprobarlo, el audaz aventurero tuvo que confesarse a sí mismo que aquel pobre animal que tenía delante de la vista era un borriquillo, un jumento humilde,

uno de esos jumentos pequeñitos, tan comunes en Argelia, a quienes sus amos emplean en llevar cargas o dar vueltas a la noria.

Tartarín se detuvo. Su alma albergaba un tesoro de compasión, y la vista de aquel pobre animal herido, desangrándose, derribado en tierra, le sugirió inmediatamente el deseo de curarle. Arrodillado, con la faja argelina que desciñó de su vientre hizo cuanto le fue posible por cortarle la hemorragia.

Pero todo fue inútil. El borriquillo no tardó en morir, quedando inmóvil tras algunas cortas y rápidas convulsiones.

Lo más peligroso, tratándose de fieras, en caso de la muerte del macho, es la aparición de la hembra. Esto no lo ignoraba el valiente tarasconés. Pero, claro está que, tratándose de un asno apacible y doméstico, nada habría que temer por ese lado.

Funesto error, como vino a demostrar en seguida la presencia de una hembra enfurecida que, si no era la esposa del burro muerto, tal vez merecía serlo, pues la emprendió a insultos y sombrillazos contra el que suponía asesino de su *Negrillo* querido, como decía a grandes voces.

Tartarín se vio obligado a defenderse como pudo de semejante arpía.

Mas como era hombre de corazón en todos los terrenos, disculpaba aquella actitud sentimental de la pobre mujer.

Difícil le fue explicarse ante el marido de la arpía y demostrar que él no tenía la culpa de aquella muerte —aunque recordaba bien sus disparos de la noche anterior—. Pero el recién venido no estaba dispuesto a entender más que el pago de una indemnización por la muerte del burro.

Por fin, llegaron a un acuerdo. El asesino, sin discutir el valor de su víctima, pagó por ella doscientos francos. En los mercados argelinos, el precio de estos buches no pasaba nunca de los doce francos.

El negocio fue muy bueno para el propietario de *Negrillo*, lo cual le puso de excelente humor.

Sintió gratitud por Tartarín y le invitó a beber en la taberna próxima. Establecióse una corriente de confianza entre los dos, que el aventurero de Tarascón aprovechó para preguntarle por los leones.

—¿Qué leones?—dijo extrañado el interpelado.

—Los leones del desierto que hay por estos campos y que a veces llegan hasta las puertas de la ciudad.

El hombre se le quedó mirando atentamente y después se echó a reír.

—¿Leones? Nunca los he visto. Llevo veinte años viviendo en Argelia y jamás sospeché que los hubiera por estas tierras. Sí, creo haber oído decir que muy lejos, allá hacia el Sur, hay leones, pero no podría asegurarlo.

Tartarín quedó silencioso. Acababa de adquirir un dato importante: en el Sur hay leones... Pues bien, él iría al Sur.

La aventura del burro habría desanimado a cualquiera. Pero los hombres del temple de Tartarín se crecen en el fracaso.

Tartarín decidió regresar inmediatamente a Argel.

Por desgracia, la carretera de Mustafá parecía haberse alargado desde la víspera. Abrasaba el sol; ahogaba el polvo. Tartarín no se encontró con valor para ir a pie hasta la ciudad. Hizo detenerse al primer ómnibus que pasó y subió a él.

Con la entrada de Tartarín quedó lleno el ómnibus. En el fondo del coche iba leyendo el breviario un sacerdote de Argel con gran barba negra. Enfrente un joven mercader moro que fumaba incesantemente, un marinero maltés y cuatro o cinco moras ocultas por sus mantos, de las que no se podía ver más que los ojos.

Aquellas damas venían de rezar sus devociones en el cementerio de Abd-el-Kader; pero esta fúnebre visita no parecía haberlas entristecido. Se las oía reír y charlar bajo sus velos, mientras saboreaban caramelos.

Tartarín creyó observar que lo miraban mucho. Sobre todo, la que tenía frente por frente, le había clavado los ojos y no los retiró en todo el camino.

Aunque no se la veía el rostro, la vivacidad de sus ojos alargados por el k'hol, un brazo delicioso y fino cargado de pulseras de oro, el sonido de su voz, los graciosos movimientos, casi infantiles, de su cabeza, todo decía que allí debajo había una mujer joven, linda, adorable.

Tartarín no sabía lo que le pasaba. La excitante caricia de aquellos ojos orientales lo turbaba, lo agitaba, lo enloquecía, tenía calor, sentía frío...

La babucha de la mora intervino y Tartarín la notó sobre sus gruesas botas de caza. ¿Qué hacer? ¿Correspon-

der a esta mirada, a esta presión? Sí, pero las consecuencias... ¡Una aventura de amor en el Oriente es peligrosísima! El valiente tarasconés se veía ya cayendo en manos de los eunucos, empalado, decapitado o arrojado al mar dentro de un saco. Esto lo enfriaba un poco; pero la babuchita continuaba su juego y los ojos de la odalisca se abrían hacia él como dos flores de terciopelo negro, como si dijeran: Somos para ti.

El ómnibus se detuvo. Estaba en la plaza del Teatro, a la entrada de la calle de Bab-Azoun. Con sus velos y sus pantalones bonbachos, una tras otra bajaron las moras.

La conquistada por Tartarín se levantó la última, y al levantarse, su cara pasó tan cerca de la del héroe que la acarició con su aliento, perfume de juventud y de frescura, hálito delicioso de promesa y amor.

El tarasconés, alucinado y dispuesto a todo, se lanzó detrás de la mora. Ella se volvió, puso un dedo sobre el velo, como para recomendarle prudencia, y con la otra mano le arrojó un ramo de jazmines.

Tartarín se inclinó para recogerlo, operación que no pudo realizar con agilidad y rapidez por el peso de sus armas y el de su propio cuerpo.

Cuando se irguió con el ramo de jazmines empuñado triunfalmente, la mora había desaparecido.

La fugaz aventura del ómnibus trastornó profundamente a Tartarín quien, por lo pronto, se olvidó de todos los leones del mundo para pensar únicamente en su adorable desaparecida.

Todas las fieras del Atlas podían dormir tranquilas en sus guaridas y salir y entrar impunemente en ellas y marchar por la selva a su antojo, ya que su mayor enemigo permanecía en su habitación—el cuarto número 36—del Hotel de Europa.

Y cuando no permanecía en el hotel con su pensamiento a solas, vagaba por la ciudad con la absurda esperanza de encontrar a la mora del ómnibus, la que con su linda babucha le acariciaba sus botas de cazador de bestias feroces. El pobre Tartarín se empeñaba en encontrar en aquella ciudad de cien mil habitantes a una mujer de la que no conocía más que el aliento, las babuchas y el color de sus ojos.

¿Cómo distinguir a una mora que bajo sus velos se adivinaba joven y esbelta de otra mora de iguales características?

Por otra parte, Tartarín no ignoraba que las moras salen poco de casa y que el que quiera atisbarlas en Argel tiene que subir al barrio alto que es la verdadera ciudad árabe, la ciudad de los *teurs*.

Poblado siniestro, dédalo de callejuelas estrechas, negras, con casas misteriosas, que a veces se juntan por los tejados para formar túneles oscuros y angostos.

Pocas ventanas se ven en semejante lugar y la mayor parte con celosías. Y a la derecha e izquierda de las calles tiendas lóbregas, a cuyas puertas unos hombres negros, con ojos brillantes y blanquísima dentadura, fuman largas pipas.

Mala señal era verles inmóviles y silenciosos; pero mucho peor era cuando cuchicheaban entre ellos, porque entonces planeaban sus crímenes...

Tartarín creía todo esto tan absolutamente que al perderse por la ciudad alta, en busca de su mora, realizaba un acto de auténtico heroísmo.

Verdad es que tomaba sus precauciones, tan rigurosas como cuando iba por las noches al Casino de Tarascón.

Siempre el revólver en la mano, con el dedo puesto en el gatillo. A cada momento sentía acercarse un grupo de genízaros, salidos de cualquier escondrijo para darle muerte alevosa.

Pero nada le detenía. La esperanza de encontrar a la hermosa musulmana del ómnibus le daba una audacia sin límites y una fuerza quintuplicada.

Una semana entera pasó Tartarín en el viejo barrio argelino, espiando todos los lugares donde suponía que podía ir su amada: los baños moros, las mezquitas. Veía entrar y salir a las mujeres siempre tapadas, siempre burlonas, mostrando unos ojos negros, casi siempre hermosos, pero que no eran los que él buscaba ansiosamente.

El pensamiento de su mora perdida no abandonaba a Tartarín. Los leones y el desierto pasaron a segundo término, aunque se hubiese jurado a sí mismo no regresar jamás a Europa sin haber matado al menos un león.

Durante el invierno se celebraba todos los sábados en Argel un baile de máscaras. El Gran Teatro acogía esas noches a un público variadísimo. No faltaban los calaveras de la ciudad, algunos oficiales de la guarnición, muchachas

ansiosas de bailar y divertirse, comerciantes de paso por Argel, colonos del interior y hasta moras, pero con la cara descubierta o enmascaradas a la europea.

Sonaba la música, bailaban y bebían los concurrentes, y así un sábado y otro, hasta que concluía el invierno y se cerraba el Gran Teatro.

Sin embargo, el verdadero espectáculo no estaba en el salón de baile. Lo más interesante se hallaba en otro salón llamado *de descanso* y en el que había instaladas varias mesas de juego.

Alrededor de estas largas mesas cubiertas con tapete verde, se agolpaba una multitud abigarrada, febril, anhelante. Muchos de aquellos jugadores eran labradores u oficinistas que iban a arriesgar allí sus ahorros y aun el precio de un arado o de una alhaja o prenda de vestir.

Entre estos solía encontrarse el príncipe Gregory de Montenegro, al que precisamente había conocido Tartarín durante su travesía a bordo del *Zuavo*.

Había noches pacíficas y noches turbulentas en esta sala de juego, cosa que sucede en todas las de su clase. Pero en Argel, debido sin duda a lo caluroso del clima, se pasaba con frecuencia de las discusiones a las blasfemias, de estas al tumulto y a los cuchillos desenvainados o los tiros de revólver. Luego, la policía que sube, las luces que se apagan, el dinero que falta...

Una de estas noches agitadas le encontró a Tartarín en aquel peligroso recinto. Su propósito no era el de jugar, sino el de distraer el ánimo acongojado por la pérdida de su mora.

De pronto, hallóse sin saber cómo, en medio de dos señores que discutían acaloradamente.

—Me faltan veinte francos, caballero.

—Nada tengo que ver, señor.

—Creo todo lo contrario, caballero.

—Vea lo que dice. ¡Soy el príncipe Gregory de Montenegro!

Tartarín se fijó entonces en el personaje que hablaba, y, emocionado, pronunció algunas palabras, dirigiéndose al interlocutor del príncipe que era un oficial de infantería.

Este miró a Tartarín extrañado, sonrió y, encogiéndose de hombros, dijo:

—¡Bueno! Repártanse ustedes los veinte francos y déjenme en paz.

El príncipe Gregory de Montenegro reconoció inmediatamente a Tartarín e inclinándose respetuosamente le tendió la mano con gesto afectuosísimo.

Tartarín, orgulloso de tal amistad, solo acertaba a pronunciar con su mejor acento tarasconés:

—¡Príncipe! ¡Príncipe!

Poco después marcharon los dos como dos viejos amigos al restorán *Los Plátanos*, un sitio delicioso con terraza al mar, donde les fue servida una espléndida cena.

Tartarín estaba entusiasmado con Su Alteza, que era de lo más simpático y cordial que pueda imaginarse.

Pequeño, pero esbelto y elegantísimo, los cabellos crespos, la mirada penetrante, la palabra irónica y señorial, Gregory de Montenegro estuvo realmente encantador.

Su historia que relató a Tartarín, entre copa y copa de champagne, era noble y romántica.

Según dijo, había tenido que salir de su patria después de muchas peripecias, perseguido por sus ideas de ardiente liberal. Y desde hacía diez años, escéptico y entristado, recorría el mundo.

Tartarín, por su parte, le habló de su mora. Su Alteza ofreció su ayuda eficacísima, puesto que conocía a todas las bellezas argelinas por tapadas que fuesen, y brindó por el próximo encuentro de la dama.

Bebieron por ellas y por Tarascón. Y por el triunfo de Tartarín y por Montenegro libre.

Una brisa suave y cálida llegaba del mar. En el cielo brillaban las estrellas y en la copa de un plátano cantaba un ruiseñor.

Tartarín pagó la cuenta y el príncipe y él salieron a la calle.

No hay nada como un príncipe montenegrino para encontrar moras extraviadas—afirma Alfonso Daudet en su novela—. Al día siguiente muy de mañana ya estaba Gregory en el Hotel de Europa hablando con su gran amigo.

—Pronto—decía—, pronto; vístase usted. Su mora ha aparecido. Se llama Baya, es viuda, no obstante su juventud, pues solo tiene veinte años y es bella como una rosa de primavera.

—¡Viuda! ¡Cuánto me alegro! Porque, la verdad, no me hacen mucha gracia los maridos de Oriente.

—Bien. Pero tenga en cuenta que está muy vigilada por su hermano.

—¡Ah, diablo!

—Desde luego se trata de un moro feroz que vende pipas en el bazar de Orleáns. Pero ya sé que usted no es pusilánime que se asuste de ningún otro hombre. Además, estoy seguro de que podremos amansar a ese individuo comprándole algunas pipas.

Tartarín estaba emocionado. Viendo próxima su dicha, dio un salto en el lecho y se vistió precipitadamente.

El príncipe Gregory le aconsejó que escribiera a Baya pidiéndole una entrevista. No importa que ella no supiera francés, porque él, Gregory, traduciría la carta al árabe.

Tartarín, tomándose algún tiempo para meditar, acabó escribiendo una carta de amor ardiente, en la que comenzaba comparándose a un avestruz en el desierto, para terminar rogando a su amada que le dijera el nombre de su padre y aceptase las flores que le enviaba.

El príncipe Gregory le indicó que se dejase de flores y que comprase pipas al hermano de Baya. Tartarín quiso ir sin dilación a comprarlas, pero el príncipe se encargó de ello para que no se molestase su amigo.

Tartarín entregó su bolsa al montenegrino, quien regresó diciendo que el asunto no se presentaba tan bien como parecía, pues el hermano de Baya sentía escrúpulos y para adormecerlos era preciso adquirir las pipas al por mayor. Por lo demás a la hermosa mora la había conmovido hondamente la carta de Tartarín.

Sin embargo, las cosas requieren tiempo. Y dinero, como decía el príncipe, a quien no cesaba de reponer fondos para comprar pipas, el enamorado tarasconés.

Por fin la bella musulmana se dignó conceder una entrevista a su pretendiente, recibiéndole en la casa que habitaba en la ciudad alta.

Cuando vio a su ídolo, quedó Tartarín un poco confuso, pues le pareció que Baya era más pequeña y más gruesa

que la mora del ómnibus. Pronto le convenció Gregory
—que asistía como intérprete a la entrevista—que estaba
equivocado.

La cara era muy guapa, lucía un rico vestido de colo-
rines, muchas sortijas y pulseras y fumaba en un largo narguilé de ámbar.

Al entrar Tartarín se puso una mano sobre el corazón,
le hizo graciosas reverencias y, dirigiéndole abrasadoras mi-
radas, le mandó sentarse junto a ella. Después le contempló
un rato en silencio y, sin que se sepa la razón, se echó a
reír locamente, estrepitosamente.

Todavía hoy pueden oírse, en los cafés argelinos de la
alta ciudad, conversaciones entre moros a las que entre-
mezclan risas y guiños maliciosos; conversaciones que tienen por tema cierto Sidi Tart'ri, ben Tar'ri, europeo rico
y simpático, que hace muchos años vivió en los barrios
altos con una esposa argelina llamada Baya.

Este Sidi Tart'ri no es otro que el famoso Tartarín de
Tarascón.

En todas las vidas, incluso las de los santos, hay horas
de abandono y desmayo, se cometen errores, se es víctima
de cegueras y desconcierto. El ilustre tarasconés no iba a
ser excepción y, por eso, durante dos meses se olvidó por
completo de los leones y de la gloria y se entregó a las delicias de Argel, como Aníbal a las delicias de Capua.

Nada difícil le fue tomar por esposa a la adorada mora.
Hecho esto compró una linda casita en el corazón de la
ciudad árabe, con su fresco patio interior provisto de una
rumorosa fuente. La casa disponía de una azotea admirable
desde la que se divisaba el mar, casi todo Argel y en la que
por la noche podía disfrutarse de la contemplación del espacio constelado de diamantes...

Tartarín se había hecho a la vida moruna y vivía feliz
en compañía de su mora, fumando en el narguilé y sabo-

reando dulces almizclados. Baya le entretenía entonando monótonas canciones y tocando la guitarra.

A veces se ponía a bailar con el arte refinado de una odelisca y daba pequeños gritos salvajes que encantaban a su esposo.

Lo único que le atormentaba a Tartarín en aquella vida muelle y feliz, era no poder charlar por los codos como hacía en otros tiempos en la botica de Bèzuquet y en la armería de Costecalde. Pero como Baya no sabía una palabra de francés se contentaba con admirarla en silencio y permanecer horas y horas tumbado en el diván.

El príncipe Gregory, su excelente amigo, le era de gran utilidad, pues como iba todos los días a casa de Tartarín le servía de intérprete y aun, a veces, en unión de la mora, de administrador de su presupuesto.

Su alteza solía hablar largamente de Montenegro libre.

Aparte del príncipe, Tartarín no recibía en su casa más que a *teurs*.

Ya no le daban miedo. Aquellos facinerosos de siniestras cabezas que antes le habían impresionado tanto al verles al fondo de sus tenduchos en las sórdidas callejuelas de Argel alto, resultaron ser unos excelentes sujetos, inofensivos comerciantes, bordadores, quincalleros, pequeños industriales, todos ellos buenos padres de familia y fieles amigos.

El único defecto que tenían era el de ser jugadores y golosos, por lo cual, cuando iban dos o tres veces por semana a casa de Tartarín, le ganaban los cuartos baraja en mano y le comían los dulces.

A las once de la noche se despedían cariñosamente de Sidi Tart'ri ben Tart'ri y se iban tan contentos.

Después de despedirlos, el tarasconés y su digna esposa acababan la velada en la blanca azotea, a la que rodeaban otras mil azoteas, también blancas, tranquilas, iluminadas por la claridad de la luna, que descendían hasta el mar.

Se oían rasgueos de guitarras llevados por la brisa.

De pronto, sonaba en la noche, como un surtidor de melodía, el cántico de un muezín que desde el alminar de la próxima mezquita destacaba su blanca silueta en el intenso azul de la noche. Su voz maravillosa cantaba las glorias de Alá.

Baya escuchaba con extraordinaria unción. Mientras duraba el canto permanecía trémula, extasiada, con una expresión de dicha inefable.

Tartarín no podía menos de pensar que una religión que producía tales efectos debía ser muy bella y muy grande...

¡Si en Tarascón se supiese! Tartarín pensaba en convertirse al islamismo.

Cierto día, por la tarde, Sidi Tart'ri, montado en una mula, regresaba de una huerta que había comprado recientemente. El cielo era azul y el aire suave y cálido.

Con sus alforjas llenas de sandías y melones, marchaba a horcajadas, con las piernas muy abiertas, en su cabalgadura, casi amodorrado por la temperatura y el bienestar.

Entraba ya en la ciudad cuando se encontró con un conocido, el señor de Barbassou, el capitán del *Zuavo*, que estaba en la terraza de un café tomando un ajenjo y fumando una pipa.

El capitán le saludó con mucha alegría, tanta que no podía cohibir la risa. Tartarín paró su mula y respondió al saludo del capitán Barbassou.

Este, sin duda, influido por el ajenjo, se puso a gastarle bromas a su conocido, preguntándole si era cierto, como decían, que iba a hacerse renegado.

Luego prosiguió frívolamente:

—Y esa muchacha, Baya, ¿sigue cantando cuplés de París?

—¿Cuplés de París?—exclamó Tartarín indignado—. Sepa, capitán, que la señora de quien usted habla es la mujer honorable que no sabe ni una palabra de francés.

—¿Que no sabe francés? Pero ¿de qué higuera ha caído usted?

Y el valiente capitán se echó a reír con más fuerza.

Luego, viendo la cara que ponía Sidi Tart'ri ben Tart'ri, disimuló sus pensamientos.

—Tal vez no sea la misma—dijo—. Debo estar confundido... Pero de todos modos creo, señor Tart'ri, que debiera desconfiar de las moras argelinas y de los príncipes de Montenegro.

Tartarín partió bastante molesto por lo que consideraba impertinencias del alcohólico Barbassou; pero no rechazó unos paquetes de buen tabaco de Francia conque el capitán del *Zuavo* se empeñó en obsequiarle.

Al llegar a su casa no encontró a nadie. Baya había salido. Sin saber por qué empezó a invadirle una extraña melancolía.

Salió al patio, sentóse cerca de la fuente y llenó su pipa con el tabaco de Barbassou. Los paquetes de tabaco iban envueltos en una hoja del diario *El Semáforo*. De pronto saltó a su vista un titular del periódico que decía así:

Noticias de Tarascón.

La ciudad está consternada. Tartarín, el cazador de leones que partió para la batida de grandes fieras de Africa, no ha dado noticias suyas hace varios meses. ¿Qué ha sido de nuestro heroico compatriota?

Apenas se atreven a preguntárselo aquellos que como nosotros hayan conocido la inteligencia ardiente, la audacia, la sed de aventuras de aquel hombre. ¿Ha sido sepultado por las arenas del desierto como tantos otros, o bien ha caído bajo los colmillos mortíferos de uno de esos monstruos del Atlas, cuyas pieles prometió al Ayuntamiento?

¡Terrible duda! Sin embargo, unos traficantes negros que han venido a la feria de Beaucaire afirman haber encontrado en pleno desierto a un europeo cuyas señas coinciden con las de nuestro héroe y que se dirige hacia Tombuctu, ¡Dios proteja a nuestro Tartarín!

EN LA TIERRA DE LOS LEONES

III

LA lectura de este comentario impresionó profundamente al buen tarasconés.

Su pensamiento voló a su ciudad natal, que se le apareció dulce y apacible, con su casino, sus cazadores de gorras, el sillón verde de la tienda de Costecalde y, dominándolo todo, como un águila con las alas abiertas, el formidable mostacho del bizarro Bravida.

Tartarín se avergonzó de sí mismo y prorrumpió en sollozos. Mientras allí, en su tierra, todo el mundo se estremecía pensando en su suerte, creyéndole expuesto a todos los peligros, en su lucha contra las fieras, él permanecía muelle y cobardemente instalado en una casita mora disfrutando de fáciles placeres.

Tartarín reaccionó con noble soberbia. Era preciso actuar y actuar sin tardanza. Era preciso dedicarse, al fin, a cazar leones.

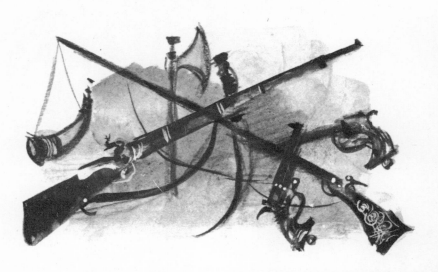

Dio un salto y con febril actividad preparó sus armas, dispuso lo necesario para la expedición y escribió cuatro letras al príncipe Gregory de Montenegro rogándole que atendiese a Baya. Dejábale también unos cuantos billetes.

Hecho esto, el intrépido Tartarín salió de la casa, sin dar explicación alguna a la sirvienta negra que le contemplaba con estupor. Allí quedaba también el narguilé, las babuchas y toda la indumentaria musulmana de Sidi Tart'ri.

Una hora después Tartarín de Tarascón rodaba en diligencia por la carretera de Blidah.

Tartarín se acomodó en la rotonda de la diligencia, una de esas viejas diligencias que habían servido años y años en Francia y pasaron a Argelia cuando en la metrópoli se fue extendiendo el servicio ferroviario.

En el departamento viajaban un fraile, unos comerciantes judíos, dos mujeres y un fotógrafo de Orleansville. El héroe estaba triste, de otro modo hubiera charlado incansablemente con aquellos compañeros de viaje.

La noche fue llegando poco a poco. El mayoral encendió los faroles. Tartarín notó que se cerraban sus pár-

pados y que el sueño le invadía. Entonces, presa de una pesadilla, le pareció que la diligencia en que iba se ponía a hablar como una persona y le llamaba por su nombre.

—Soy—decía—la vieja diligencia que hace años cubría el servicio de Tarascón a Nimes. ¡Cuántas veces le he llevado a usted y a sus amigos cuando iban a cazar gorras a Jonquieres o Bellegarde! Por mi gusto no vine, señor Tartarín. Me trajeron cuando terminado el ferrocarril de Beaucaire ya no servía allí para nada. Una cosa parecida les ha pasado a la mayor parte de las diligencias de Francia; todas han sido deportadas.

El viejo armatoste seguía hablando, con un acento de nostalgia que contagió a Tartarín hasta el punto de despertarle, todo sudoroso y desasosegado.

En este momento, el mayoral gritó con voz de trueno:

—¡Blidah! ¡Blidah!

A través de los cristales empañados, el insigne tarasconés pudo ver una plaza muy cuidada, de aspecto provinciano, con soportales y naranjos, donde unos soldados franceses hacían ejercicios.

Todo ofrecía un aspecto regular y pacífico, a la europea, sin nada que hiciese sospechar la existencia de leones.

Se veía un mercado bien provisto de frutas y hortalizas de toda clase. Los cafés abrían sus puertas.

—Hay que ir al Sur—se dijo Tartarín—. ¡Más al Sur!

Después de cambiar los tiros, la diligencia siguió su camino con los mismos compañeros de viaje, más uno nuevo que subió en Blidah.

Era un hombre pequeñito, calvo, insignificante, con aspecto de notario de pueblo, cuya gran curiosidad por el armamento de Tartarín se manifestó desde el principio.

Miraba alternativamente a las armas y al propietario de ellas, de tal modo que el tarasconés acabó por moles-

tarse. Pero el señor pequeñito no perdía su flema y en las palabras que entre los dos se cruzaron dio muestras de mucha cortesía. Cuando Tartarín se dio a conocer como cazador de leones, produjo gran admiración a las dos damas y al fraile, que se persignó devotamente.

El hombre pequeñito sonrió y le preguntó cuántos leones había cazado ya. Tartarín contestó que muchos, y el fotógrafo de Orleansville intervino para decir que también debía ser peligrosísimo la caza de las panteras.

Precisamente el célebre Bombonnel había estado recientemente en Argelia realizando batidas extraordinarias contra las panteras.

—¿Conoce usted a Bombonnel, señor Tartarín?—le preguntó el fotógrafo.

—¡Vaya si le conozco! Hemos cazado juntos muchas veces.

El señor pequeñito sonrió.

—Pero—prosiguió el tarasconés—no se puede comparar una caza con otra. ¡Al fin y al cabo la pantera no es más que un gato grande!

En la primera parada de la diligencia el pequeño desconocido se apeó, no sin aconsejar a Tartarín que no se obstinase en cazar leones en Argelia porque ya no los había. Todavía quedaban algunas panteras, pero leones, ni uno, desde hacía mucho tiempo.

El hombrecillo saludó a todos y se perdió a lo lejos. El cochero de la diligencia, correspondiendo con muestras de gran respeto al saludo de aquel, dijo:

—¡Adiós, señor Bombonnel!

La diligencia caminaba siempre y al otro día llegó a Milianah, donde Tartarín decidió descansar. Iba en busca de un hotel, cuando a la vuelta de una esquina se encontró con algo inaudito, asombroso: un soberbio león que esperaba a la puerta de un café y que iba y venía llevando

entre los dientes un platillo donde algunos transeúntes echaban monedas.

Se trataba de un viejo león ciego y domesticado, de los varios que existían en una especie de convento ismaelita perdido en un oasis, cuyos religiosos los empleaban para recoger limosnas.

Tartarín, al saber esto, se indignó y furioso por el trato humillante que se daba al rey de la selva se abalanzó al

animal y le quitó lo que llevaba en la boca, arrojando lejos el platillo con todas las monedas...

Lo cual, visto por los dos negros gigantescos encargados de conducir al león, fue inmediatamente castigado con numerosos estacazos sobre el cuerpo del pobre Tartarín, quien se defendía de aquellos energúmenos desesperadamente.

Mucho peor lo hubiera pasado si, como enviado por la providencia, no hubiese aparecido por allí el príncipe Gregory de Montenegro.

Con un gesto autoritario y unas palabras amenazadoras se impuso a los negros y a todos.

Tartarín, estupefacto, le echó los brazos al cuello, interrogándole sobre su presencia en aquel lugar. Su Alteza dijo que en cuanto leyó su carta dejó a Baya al cuidado de su hermano, el de las pipas, y él alquiló una silla de postas para alcanzarle y colaborar con *el gran Tartarín* en la caza de leones.

—Sin embargo—exclamó el héroe—, alguien me ha dicho que ya no existen leones en Argelia.

—¿Cómo que no?—repuso el príncipe—. Ya verá usted si los hay. Mañana vamos a batir a esa fiera en el llano de Cheliff.

El príncipe montenegrino se había provisto también de armas y, además, de un hermoso quepis galoneado de oro.

Según él, en las relaciones con los árabes, el quepis era indispensable, pues les inspiraba tanto respeto como temor.

Apenas llegaron al llano de Cheliff, Gregory organizó una caravana formada por ellos dos y por media docena de cargadores negros.

Uno murió de un cólico por haberse comido los esparadrapos del botiquín; otro cayó en el camino víctima de una borrachera mortal de aceite alcanforado; otro, el que llevaba el álbum de viaje, al ver el metal dorado de las tapas, se escapó con el libro creyendo que se llevaba un tesoro...

En vista de tantas desgracias Tartarín y su amigo decidieron sustituir a los negros, pero ¿por quién o quiénes?

El príncipe propuso comprar en un mercado relativamente próximo unos jumentos. Tartarín, acordándose de *Negrillo*, se negó en redondo alegando que no podrían soportar la carga de las armas y bagajes.

—No lo crea usted—replicó el príncipe—, por flaco y esmiriado que parezca el borriquillo argelino tiene lomos fuertes. Soporta mucho. Son la base de la colonización francesa en Argelia. Los moros la definen diciendo: Arriba está el señor gobernador que descarga sus palos sobre el Estado Mayor; el Estado Mayor los descarga sobre el soldado; el soldado sobre el colono; el colono sobre el árabe; el árabe sobre el negro; el negro sobre el judío; el judío sobre el borriquillo, y el borriquillo, como no tiene a quien pegar, tiende el lomo y lo aguanta todo.

Tartarín quería a todo trance algo muy oriental y para esto nada mejor que los camellos. Por lo menos uno.

—Si pudiéramos adquirir un camello—dijo suspirando.

—¿Un camello?—exclamó el príncipe Gregory—. Todos los que usted quiera. Un camello y doscientos camellos. En el zoco de Cheliff podremos comprarle.

El mercado se celebraba a algunos kilómetros, en las orillas del Cheliff. Había en él cinco o seis mil árabes harapientos moviéndose bajo el sol y traficando ruidosamente en medio de jarros de aceitunas negras, frascos de miel, sacos de especias y grandes montones de tabaco; quince o veinte hogueras en las que se asaban corderos enteros, pringosos de manteca; carnicerías al aire libre, en las que negros desnudos con los pies en la sangre, los bra-

zos rojos, despedazaban con grandes cuchillos, cabritos colgados de un gancho.

Bajo una tienda con infinitos remiendos de mil colores veíase a un notario moro, con gafas y un gran libro. Aquí un grupo que gritaba rabiosamente alrededor de una ruleta. Allá, pataleos, alegría, risas; era que un comerciante judío, con su mula, se estaba ahogando en el Cheliff.

En el suelo saltaban los escorpiones, perros famélicos corrían por todas partes, o se echaban tristemente en cualquier mancha de sombra. Volaban cuervos. Enjambres de moscas pegajosas formaban nubes sobre los alimentos y sobre los animales.

Lo que no había era camellos. A los ojos de Tartarín este hecho, sin importancia para las transaciones que solían hacerse en aquel mercado, adquiría los caracteres de una burla insoportable.

Si el hombre de Tarascón no hubiese tenido una endiablada salud mental, los chascos que continuamente recibía le habrían vuelto loco.

Al fin, tras muchas rebuscas e indagaciones, el príncipe montenegrino y el francés provenzal, dieron con unos beduinos que tenían un camello.

Verdaderamente los propietarios de este animal habían hecho todos los esfuerzos posibles para deshacerse de él, siempre sin éxito, pues los conocedores sabían que no valía para nada.

Sin embargo, era un camello que se parecía extraordinariamente a los demás camellos del desierto: melancólico, despeluchado, con larga cabeza de enorme belfo y una joroba, una sola joroba, sólida y alta.

Para Tartarín era un ejemplar soberbio. En él vio la solución del problema que le había planteado la ausencia de los cargadores negros. No hubo regateos en la compra, ni quiso oír las proposiciones de un judío que le ofrecía dos camellos mucho mejores que aquel y con dos jorobas cada uno, por la mitad de precio.

Tal propuesta le tentó un momento, pero la perspectiva de tener que aguardar veinticuatro horas la llegada de los camellos del judío, le hizo rechazar la oferta.

Tartarín estaba tan impaciente por tener un camello que, considerando un triunfo el haberle obtenido, despreció los gestos irónicos y los comentarios burlones que en la lengua arábiga hacían los tratantes de la feria.

El camello, presente en las operaciones de compra, parecía entender cuanto decían los beduinos de Tartarín.

La actitud de este captó la voluntad del dromedario y, sin duda, nació entonces el raro afecto que el animal manifestó en lo sucesivo hacia su nuevo dueño.

Pocos europeos saben que el dromedario es uno de los animales más cariñosos que existen. Para ellos, el perro y el caballo se llevan la palma de la fidelidad y de la cordial adhesión al hombre. Es más, consideran al camello como un animal insensible y estúpido. Sin embargo, no es así.

Seguramente es mucho menos expresivo que el perro, y más lento en sus reacciones que el caballo, pero, en cambio, supera a ambos en la tenacidad de sus sentimientos.

Apenas se lo indicó al beduino que le había vendido, el camello se arrodilló ante Tartarín. Le ataron las maletas a los flancos y el príncipe de un salto se instaló sobre el cuello del animal. Tartarín, para presumir más, se izó hasta encima de la joroba, y desde allí, orgulloso y firme, saludando con alegre gesto a todos los que habían acudido para verlo, dio la señal de partida. ¡Si sus paisanos de Tarascón hubiesen podido contemplarle...!

El camello se enderezó, alargó las nudosas patas y emprendió la marcha.

Por muy oriental que fuese la nueva cabalgadura, nuestros cazadores de leones tuvieron que renunciar a ella, pues su incomodidad para los no habituados era excesiva. Se continuó, pues, el camino a pie como antes, y la *caravana* caminó hacia el Sur por pequeñas etapas: el tarasconés a la cabeza, el montenegrino a la cola y en las *filas* el camello con las maletas y las armas.

La expedición duró cerca de un mes. Un mes absurdo, alucinante, buscando leones inexistentes, Tartarín erró de aduar en aduar por la inmensa llanura del Cheliff, a través de aquella original Argelia francesa, donde los perfumes del antiguo Oriente se mezclan con un fuerte olor a ajenjo y a cuartel. Algo mágico y burlesco, como una página del Antiguo Testamento contada por el sargento La Ramée o el brigadier Pitou.

Un pueblo salvaje y soberbio que civilizamos dándole nuestros vicios—dice Daudet—. He aquí el cuadro: la autoridad despótica de los agaes, que se limpian gravemente las narices con los cordones de la legión de honor y por un *sí* o por un *no* apalean a las gentes en la planta de los pies; la justicia sin conciencia de los cadíes de grandes gafas, cínicos mistificadores del Corán y de la ley, que solo piensan en medrar y vender sus sentencias como

Esaú el derecho de primogenitura, por un plato de lentejas o de alcuzcuz azucarado.

Caídes libertinos y borrachos, antiguos asistentes de un general cualquiera, que se emborrachan de champaña y se dan festines de carnero asado mientras ante sus tiendas se mueren de hambre por centenares los siervos de la tribu, que disputan a los perros las sobras de la comilona señorial.

Alrededor de todo esto, llanuras áridas, hierba seca, bosquecillos estériles que solo tienen cactus y lentisco. En realidad *el granero de Francia* es solamente rico en chacales y chinches. Aduares abandonados, tribus que caminan sin saber adonde. De trecho en trecho, a muy largas distancias, aparece un poblado francés de casas arruinadas; campos yermos, insectos que se comen hasta las cortinas, mientras los colonos en los cafés se dedican a beber ajenjo y a discutir reformas y progresos.

En todas partes, gracias al quepis del príncipe Gregory de Montenegro, los cazadores de leones eran recibidos con los brazos abiertos. Se alojaban en casa de los ágaes, en viejos alcázares o en amplias granjas blancas sin ventanas donde se encuentran mezclados cómodas de caoba y narguilés, tapices de Esmirna y lámparas de cristal, cofres de cedro llenos de cequíes turcos y relojes de pared con figuras estilo Luis Felipe.

En todas partes daban a Tartarín fiestas espléndidas, *diffas*, *fantasías*... En su honor, las tropas corrían la pólvora. Después, cuando ya la pólvora había corrido, el buen ágae venía y presentaba la cuenta. A esto se le conoce con el nombre de hospitalidad árabe.

Pero de leones, nada.

Sin embargo, el tarasconés no se desanimaba. Internándose audaz por la región del Sur, pasaba el día batiendo el monte, registrando los matorrales con la punta

del cañón y haciendo estremecerse a todas las plantas. Por las noches, antes de acostarse, realizaba una concienzuda ronda de dos o tres horas. Pero todo era inútil. El león no aparecía.

Sin embargo, una tarde, hacia las seis, cuando la caravana atravesaba un bosque de espesa vegetación, donde grandes codornices agobiadas por el calor saltaban aquí y allá por la hierba, Tartarín creyó oír—muy lejano, muy vago, atenuado por la brisa—aquel formidable rugido que él había escuchado tantas veces en Tarascón, en la barraca de Mitaine.

Al principio creyó oír mal. Pero al cabo de un instante se reanudaron los rugidos, siempre lejanos, aunque más claros; y esta vez, al mismo tiempo se oía ladrar furiosamente a los perros de los aduares y la joroba del camello temblaba sacudida por el terror.

No cabía duda. Era el león. ¡Pronto, pronto, a las armas! No había momento que perder.

A un paso de allí se alzaba un morabito de blanca cúpula. Grandes babuchas amarillas que pertenecieron al difunto se hallaban depositadas en nicho encima de la puerta y un revoltijo de exvotos, chilabas y bordados de oro y cabelleras de distintos colores, colgaban de los muros. Tartarín de Tarascón dejó allí al príncipe y a su camello y se fue en busca de un lugar donde emboscarse.

El príncipe Gregory quería seguirlo; pero el tarasconés estaba dispuesto a afrontar al león a solas. Unicamente pidió a Su Alteza que no se alejase, y le entregó, para tenerla segura, una cartera llena de documentos y billetes de banco, que no quería ver desgarrada por la zarpa de la fiera.

Cien pasos delante del morabito un bosquecillo de adelfas temblaba entre las luces del crepúsculo, al borde de un riachuelo casi seco. Allí fue a colocarse Tartarín, rodillas en tierra, la carabina en la mano y el gran cuchillo de caza hincado ante él en la arena del ribazo.

Llegó la noche. El color de rosa de la naturaleza pasó al violeta; después al azul oscuro. Abajo, entre los guijarros del riachuelo, brillaba como un espejo un charco de agua clara. Era el abrevadero de las fieras. En la pendiente de la otra orilla se veía claramente el blanco sendero que las gruesas patas del animal habían trazado sobre la hierba. Daba escalofríos esta pendiente misteriosa.

Se oía el murmullo vago de las noches africanas, roces de ramas, pasos aterciopelados de animales merodeadores, agudos aullidos del chacal, y allá arriba, en el cielo, a cien o doscientos metros, bandadas de grullas que pasaban lanzando gritos estridentes.

Tartarín estaba nervioso. Y aun agotado. ¡Le castañeteaban los dientes! Sobre la empuñadura del cuchillo de caza hincado en tierra, el cañón del fusil bailaba una extraña danza. Los héroes también experimentan el pánico.

Tartarín sintió un miedo espantoso. Sin embargo, aguantó uno hora, dos horas. Al fin, en el seco lecho del río, oyó de pronto un ruido de pasos fuertes y de pedruscos que ruedan. Esta vez el terror le hizo precipitarse en disparar y dos tiros sonaron en la oscuridad de la noche. Tartarín echó a correr refugiándose en el morabito, sin preocuparse del cuchillo de monte que quedó enhiesto sobre la arena como una cruz conmemorativa del pavor más fuerte que haya asaltado jamás el corazón de un cazador de leones.

—¡Socorro, príncipe... el león...!—gritaba Tartarín—. ¡Príncipe, príncipe! ¿Dónde está usted?

Pero Gregory no estaba allí. Sobre la blanca pared del morabito, el humilde camello, solo, proyectaba a la luz de la luna, la fantástica sombra de su joroba.

El príncipe de Montenegro había emprendido el regreso a Argel, en la grata compañía de la repleta cartera de Tartarín.

Su Alteza llevaba un mes aguardando esta oportunidad.

Lo del león había resultado una falsa alarma. Rendido de cansancio Tartarín se quedó dormido. Cuando despertó a la luz del alba, hizo balance de su situación. Estaba solo en aquella tumba blanca, traicionado, robado, abandonado en medio de la Argelia salvaje, con un pobre camello y algunas monedas por todo recurso.

Mas de pronto ocurrió algo increíble. Tartarín vio abrirse un espeso matorral y, a diez pasos de él apareció un león gigantesco, con la cabeza alta y lanzando formidables rugidos que estremecían los muros del morabito y todo el desierto.

Pero el tarasconés no tembló.

—¡Por fin!—gritó saltando rifle en mano y, sin vacilar, echándosele a la cara, ¡paf, paf!, disparó dos tiros con la bala explosiva que hizo pedazos la cabeza del animal.

Después, todo ocurrió en un segundo. Tartarín vio avanzar, furiosos contra él, a dos negros enarbolando sendas estacas. Eran los dos negros de Milianah. Y el león muerto era el pobre león ciego y domesticado, que se dedicaba a pedir limosnas para un convento ismaelita.

Ebrios de furor los negros habrían matado a Tartarín, si el Dios de los cristianos no hubiese enviado en su ayuda a un ángel protector, el guarda forestal del distrito de Orleansville, que llegó, blandiendo su sable, por un sendero.

La vista del quepis municipal aplacó súbitamente la cólera de los negros. Sereno y majestuoso el guarda levantó acta del caso, hizo cargar sobre el camello los restos del león, ordenó a los denunciantes y al delincuente que le siguieran y se dirigió a Orleansville, donde todo fue puesto a disposición del juzgado.

Después de largas gestiones, papeleo y un juicio lleno de terribles acusaciones, el héroe escapó con solo dos mil quinientos francos de multa, más las costas. Pero ¿cómo pagar?

El infortunado cazador de leones no tuvo más remedio que vender sus armas, carabina por carabina. Vendió los puñales, los *krish* malayos, los rompecabezas, las botas altas y la tienda de campaña...

Una vez pagado todo no le quedaba a Tartarín más que el camello y la piel del león. Esta fue embalada convenientemente y dirigida a Tarascón, al valeroso comandante Bravida. En cuanto al camello pensaba utilizarlo para volver a Argel, no sobre él, sino vendiéndolo para pagar la diligencia, que es la mejor manera de viajar en camello. Por desgracia, el animal era de difícil venta, y nadie ofrecía un cuarto por él.

Al llegar a su casa del barrio alto de la ciudad, Tartarín se detuvo muy sorprendido. Anochecía. La sirvienta negra se había olvidado de cerrar la puerta del patio que daba al jardín y podían oírse claramente risas, ruidos de vasos, estampidos de tapones de botellas de champaña y, sobre todo, una voz descarada y alegre de mujer que cantaba un cuplé de París:

*¿Aimes-tu, Marco la Belle
la danse aux salons en fleurs?*

Intensa palidez cubrió el rostro de Tartarín. Aquella voz... Aquella risa...

—¡Trueno de Dios!—aulló sordamente. Y sin más se precipitó en el patio.

Un espectáculo atroz se presentó a sus ojos.

En medio del patio, adonde se había sacado un velador y varios cojines, Baya, vistiendo una blusa de gasa y un pantalón bombacho de color rosa, con una gorra de oficial de marina sobre la oreja, cantaba y bailaba alegremente.

Sentado en un cojín el capitán Barbassou, reía bebiendo copa tras copa.

La aparición de Tartarín, lívido, lleno de polvo, con los ojos de fuego, cortó bruscamente aquella orgía morisco-marsellesa.

Baya dio un grito y corrió a refugiarse en la casa.

El capitán Barbassou se quedó tan tranquilo.

—Vamos, vamos, señor Tartarín. No se ponga usted así. ¿Se convence usted ahora de que su esposa sabía francés?

Tartarín de Tarascón avanzó furibundo.

—¡Capitán!—bramó, mirando con fiereza a Barbassou.

En esto Baya, apareciendo en una ventana que daba sobre el patio, con gesto humorístico y canallesco, exclamó:

—Capitán: *digo-li que vengue.*

El desgraciado tarasconés no pudo más y, aterrado y desfallecido se dejó caer sobre una pandereta. ¡Su amada mora sabía hasta marsellés!

Barbassou, apurando otro vaso de vino, dijo dirigiéndose sentenciosamente a Tartarín:

—Ya le advertí que no se fiara de las argelinas. Ni de los príncipes de Montenegro.

Tartarín, reaccionando vivamente, preguntó dónde se hallaba Su Alteza. El capitán Barbassou le informó cumplida e inmediatamente.

—No está lejos. Se encuentra en el hermoso presidio de Mustafá, donde permanecerá cinco años. Le han sorprendido realizando uno de sus delicados trabajos. No es la primera vez que se aloja en mansiones como la que ahora tiene el honor de cobijarle. Hay que abrir mucho el ojo en este condenado país, porque si no está uno expuesto a cosas muy desagradables. Como la historia del muecín.

—¿Qué historia es esa?

—El muecín de ahí enfrente, el que hacía el amor a Baya. ¡Aún se está riendo todo Argel! Sepa usted que este muecín, desde lo alto de su torre, mientras cantaba las oraciones, piropeaba en las mismas narices de usted a la muchacha y se citaba con ella.

—¿Pero, es que no hay más que sinvergüenzas en este país?—gimió el desgraciado tarasconés.

Barbassou hizo un gesto filosófico.

—Amigo mío, ya se sabe que en los países cálidos... Créame: vuélvase pronto a Tarascón y abomine de las moras.

—¡Volver! Se dice muy pronto. ¿Y el dinero? Todos mis fondos me los robó el príncipe.

—Eso no importa—dijo el capitán riendo—. El *Zuavo* sale mañana y, si usted quiere, yo le llevo a Francia. Solo tiene que hacer una cosa. Todavía quedan champaña y muchos dulces. Siéntese usted ahí y recobre su buen humor.

Todo se hizo como dispuso Barbassou, y ya sin rencor, hasta la misma mora bajó a cantar el final de *Marco la Belle*. La fiesta duró hasta que la noche iba muy avanzada.

Hacia las tres de la mañana, el buen Tartarín volvía de acompañar a su amigo el capitán cuando, al pasar ante la mezquita, el recuerdo del muecín y de sus farsas le hizo reír. En su cerebro brotó un proyecto de venganza.

La puerta estaba abierta. Siguió por una galería y subiendo por unas escaleras llegó a un pequeño oratorio en el que un farol de hierro se balanceaba en el techo proyectando sobre las blancas paredes sombras caprichosas.

El muecín estaba allí, recostado en un diván, con su gran turbante, su blanco albornoz, su pipa de Mostaganem, y ante él una alta y ancha copa de ajenjo que apuraba devotamente esperando la hora de llamar a los creyentes a la oración.

Al ver a Tartarín tuvo miedo, cayendo la pipa de sus labios.

—No temas nada, granuja. ¡Pronto! Dame el albornoz y el turbante.

El muecín, tembloroso, entregó su turbante y su albornoz sin rechistar. Tartarín se puso esas prendas y pasó solemnemente a la terraza del minarete.

El mar brillaba a lo lejos. Los techos blancos resplandecían a la luz de la luna. La brisa marina traía ecos de guitarra. El muecín de Tarascón se recogió un momento y después, alzando los brazos, comenzó a salmodiar con voz penetrante:

—¡*La Allah il Allah!*... Mahoma es un viejo sinvergüenza. El Oriente, el Corán, los leones, las moras, todo eso junto, no vale un pimiento... Ya no hay *teurs*... ¡Todo es fullería en Argel! ¡Viva Tarascón!

Y mientras en una lengua compuesta de árabe y provenzal, Tartarín lanzaba a los cuatro puntos cardinales, sobre el mar, sobre la llanura, sobre la montaña, su burlona maldición, la voz clara y grave de los otros muecines le respondía, alejándose de minarete en minarete, y todos los fieles de la ciudad alta se daban golpes de pecho.

Ya estaba el sol en su cenit cuando el *Zuavo*, humeante, se disponía a partir. En un café de la ribera, llamado *Valentin*, algunos oficiales franceses contemplaban al feliz barquito que iba a marchar a Francia.

La rada chispeaba, el calor era intenso y el bronce de los viejos cañones turcos enterrados a lo largo del muelle, llameaban al sol. Los pasajeros se acercaban en barca hasta el *Zuavo* y allí, tras una difícil maniobra para izarse, abordaban la cubierta.

Tartarín de Tarascón no llevaba equipaje. Acompañado por su amigo Barbassou se dirigía hacia el muelle y el barco, triste y cabizbajo, pensando en Tarascón adonde llegaría con las manos en los bolsillos. Apenas saltó a la chalupa del capitán, cuando viose el extraño espectáculo de un camello que se precipitaba hacia Tartarín, al galope. Era su fiel amigo del desierto que después de buscar a su amo por todo Argel, lo encontraba a punto de marcharse.

Tartarín fingió desconocerle, se volvió de espaldas, pero el camello, agitándose, parecía llamar a su amigo y decirle con ternura: Llévame contigo; aléjame de esta Arabia inaguantable, de este Oriente ridículo, en el que a pesar de mi condición de animal del desierto, me encuentro extranjero. Así como tú eres el último turco, yo soy el último camello. ¡Llévame contigo, Tartarín!

El capitán Barbassou, al ver semejante escena, comprendió todo, pues era un hombre muy listo y tomó rápidamente una decisión. Por su parte, el camello se lanzó al agua sin vacilar, avanzando hacia la chalupa, con el lomo alzado y el largo cuello en alto sobre la superficie líquida. Unos minutos después se hallaba junto al paquebot.

—¡Vive Dios!—exclamó el capitán Barbassou, conmovido—. Bien merece este animal vivir en la civilizada Europa. Voy a llevarle en mi *Zuavo*. Y al llegar a Marsella lo regalaré al Jardín Zoológico.

El camello fue subido sobre cubierta con gran lujo de aparejos y cuerdas, y el barco se puso en marcha.

Durante el tiempo que duró el viaje, dos días largos, Tartarín los pasó en su camarote. Iba melancólico, pensando en el desprecio que sobre él caería en su ciudad natal.

Marsella apareció al fin, luminosa, entre la bruma plateada. El *Zuavo* echó el ancla. Tartarín, procurando esconderse de todos, salió del barco, atravesó la ciudad y no paró hasta verse en un vagón de tercera clase, corriendo hacia Tarascón. Un momento pensó en su pobre camello... ¡Y cuál no sería su sorpresa, cuando le vió a lo lejos, de-

trás del tren, produrando alcanzarle con la gran velocidad de sus largas patas!

Tartarín tenía el proyecto de llegar a su casa sin que le viera nadie. ¡Qué llegada a Tarascón más ridícula iba a ser la suya! Sin dinero, sin leones, sin nada. Estas lamentables ideas cruzaban por su cerebro, cuando paró el tren y oyó gritar:

—¡Tarascón! ¡Tarascón!

Había llegado. Era necesario descender.

Realmente el estupor que en aquel mismo momento experimentó Tartarín tenía su motivo. Apenas apareció en la portezuela, un grito colosal de ¡Viva Tartarín!, hizo retemblar la bóveda de cristal de la estación. La multitud estaba como enloquecida. ¡Viva el cazador de leones!

Una charanga atacó un vibrante pasodoble. Las voces de un coro de bienvenida estallaron. Tartarín creyó un momento que se trataba de una burla. Pero no. Todo Tarascón estaba en la estación agitando los sombreros, gesticulando emocionado, tan simpático como siempre.

Allí esperaban al valiente cazador, el comandante Bravida, Costecalde el armero, el magistrado, el boticario y todos los cazadores de gorras de la ciudad.

El origen de este grandioso homenaje era la piel del león ciego enviada a Bravida. Los tarasconenses y todo el Midi, se habían entusiasmado con aquella piel que se había expuesto en el casino. *El Semáforo* había hecho grandes informaciones, afirmando que no era un solo león lo que había matado Tartarín, sino diez leones, veinte leones, una manada innumerable de leones. He aquí por qué Tartarín era célebre sin saberlo, y, en el momento de desembarcar en Marsella, los periodistas habían telegrafiado a Tarascón, dando la noticia de su arribo.

En estas se hallaba el héroe, cuando él y cuantos le rodeaban, vieron aparecer a un animal fantástico, cubierto de polvo y de sudor que llegaba con algún retraso respecto al tren. Pero que llegaba.

Tartarín se puso muy contento. Llevó su alegría hasta un grado máximo.

—¡Es mi camello!—gritó.

Y todos los tarasconenses contemplaron con entusiasmo a aquel noble animal que con su presencia daba fe de las hazañas del héroe.

En medio de sus amigos, Tartarín se encaminaba hacia su casa, la casa del baobab, y mientras iba andando, comenzó la narración de una de sus grandes aventuras:

—Figuraos—decía—que una noche, en medio del Sahara...